Na, na! Paid â darllen y lly

Paid!

Naaaaaaaaaaaaaaaaaaaaaaaaa.........

I Robin a Carwyn

Diolch i Leah a Marged

Argraffiad cyntaf: 2006

ISBN: 086243 920 5
9780862439200

Cyhoeddwyd ac argraffwyd yng Nghymru gan:
Y Lolfa Cyf., Talybont, Ceredigion SY24 5AP
e-bost ylolfa@ylolfa.com
www.ylolfa.com
ffôn +44 (0)1970 832 304
ffacs 832 782

Ganol nos dan olau llawn y lloer
Ar noson calan gaeaf oer;
A thithau'n dy wely, dan gwrlid yn swatio,
Yn y fynwent mae rhywbeth erchyll yn deffro...

Clyw gaead pren yr arch yn gwichian,
Sŵn dylyfu gên ac igian.
O bridd y bedd daw bysedd hir
A'r ewinedd main yn torri trwy'r tir.

Dyma Draciwla, mae'i wên led y pen
A'i ddau ddant yn finiog fel dwy ddraenen.
Yn raddol bach mae'n sefyll ar ei draed
Gan awchus alw, "Dw i am gael gwaed!"

Ac mae'n dod tuag at dy stafell wely di!

Dyma'r Wrach â llond ei chrochan
O wenwyn pur yn prysur ffrwtian.
Ymdrech fawr oedd hel yr holl gynhwysion
At ei photes llawn afiechydon.

Gyda llwy mae'r Wrach yn blasu llymaid
A'i ddyfarnu'n ddiflas pob un tamaid.
I'r crochan, at y blas, mae'n crafu ploryn.
"Nid yw'n ddigon! Rhaid cael plentyn!"

Ac mae'n dod tuag at dy stafell wely di!

A'i ddannedd di-wefus melyn a brown,
Ar lwgu, heb fol, a'i wddf yn friwsion bron.
Gydag un droed o flaen y llall yn drwm;
Un o'r meirw byw yw hwn.

Y Sombi ar ei daith, am faeth mae'n ysu.
Cnawd amrwd mewn tameidiau yr hoffai flasu.
Ac o flys am flas ei fwyd mae'n griddfan,
"Mmm... ymennydd plentyn yn fenyn ar fy mrechdan."

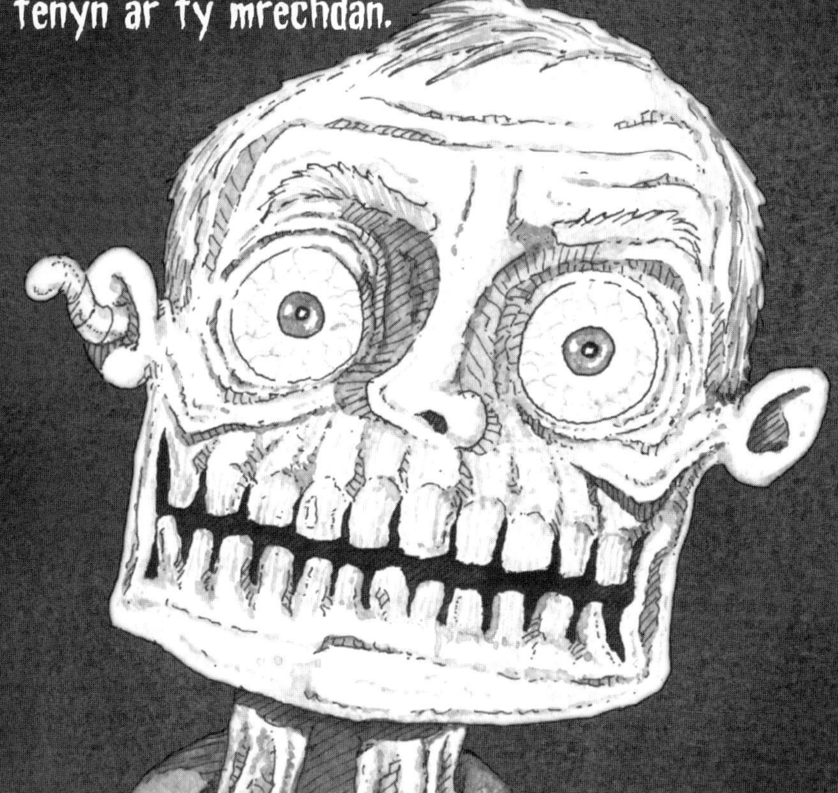

Ac mae'n dod tuag at dy stafell wely di!

Shshshshshshshshshshshshshshshshsh...

Fel ystlum bach ysgafn heb un smic i'w glywed
Mae Draciwla'n hedfan drwy'r ffenest agored.
Ti'n cysgu'n rhy drwm i'w glywed yn glanio
Wrth ymyl y gwely, cyn graddol ailffurfio.

Mewn fflach y mae'r Wrach wrth ymyl y gwely.
(Ond fflach ddistaw bach rhag deffro dy deulu.)
Wrth rwbio ei dwylo cymalog, mae'n sibrwd,
"Wwww... Dw i am dy ferwi di'n siwrwd!"

CRASH!!

Drwy'r wal yn brasgamu daw'r Sombi
Ar garlam at y gwely i'th gnoi di.
Mae'n sychu glafoer seimllyd ei ên,
Ac edrych i lawr arnat ti gyda'i wên.

Felly...

Dyna ti edrych ymlaen y mae'r tri
At yfed dy waed neu dy ferwi di;
Neu fwyta dy gnawd yn gwbl ddigwilydd –
TAN IDDYNT SYLWI POB UN AR EI GILYDD!!

"Be dach chi'n neud 'ma??!!!"

Mae'r ddadl yn dechrau.

Cega mawr a checru.

A Draciwla yw'r cyntaf i agor ei geg:

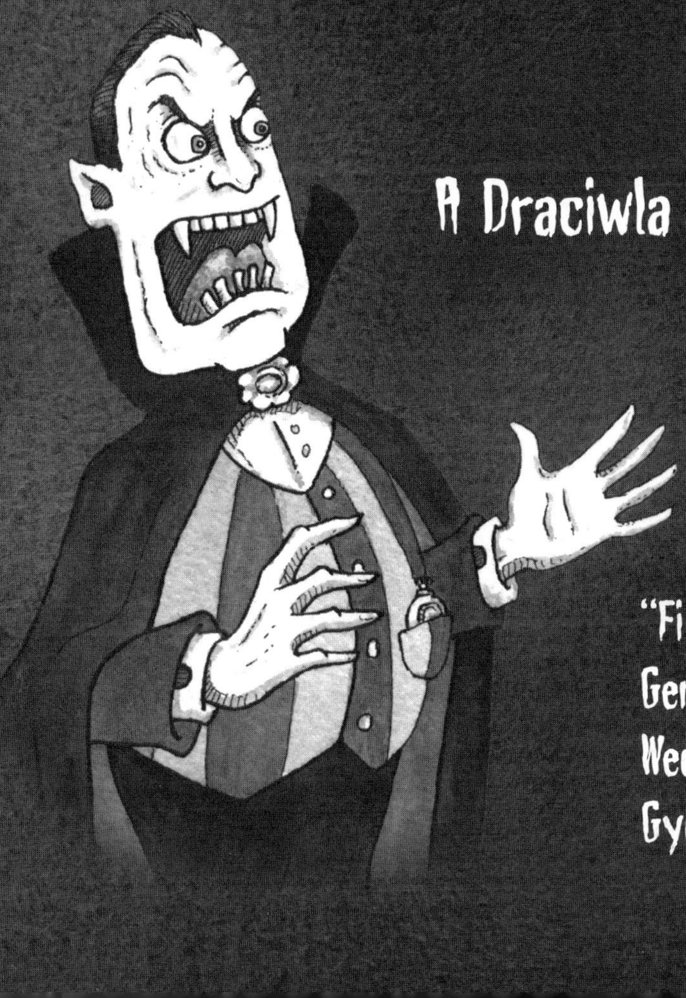

"Fi oedd y cyntaf i gyrraedd fan hyn.
Gen i mae'r hawl i yfed gwaed y plentyn.
Wedi'r cwbl, Tywysog y Tywyllwch ydw i,
Gyda statws urddasol, uwchraddol i chi."

"Mewn fflach," meddai'r Wrach, "cyrhaeddais yn gyflym,
A thithau'n ailffurfio – yn hanner ystlum.
Fi oedd y cyntaf, gen i mae'r hawl
I ferwi'r plentyn yn fy nghawl!"

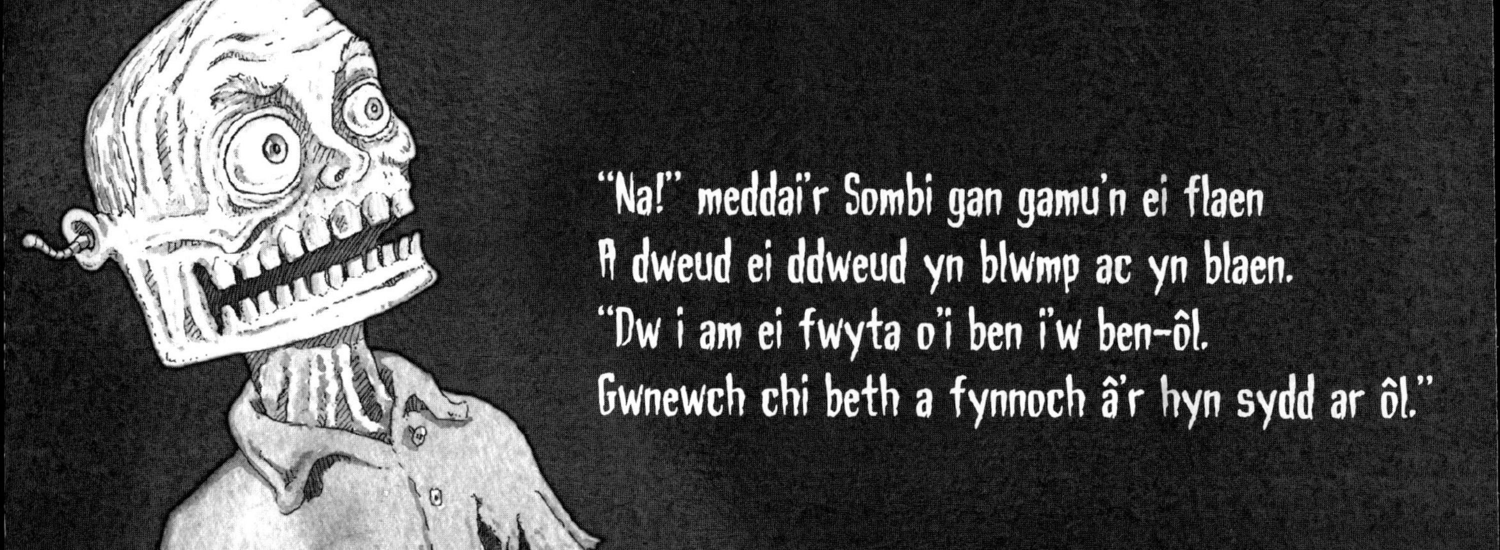

"Na!" meddai'r Sombi gan gamu'n ei flaen
A dweud ei ddweud yn blwmp ac yn blaen.
"Dw i am ei fwyta o'i ben i'w ben-ôl.
Gwnewch chi beth a fynnoch â'r hyn sydd ar ôl."

"Chi'ch dau! Be wnewch chi, heb damaid o steil?"
Meddai Draciwla'n flin: "Dim byd gwerth chweil!
Ei ferwi neu'i fwyta – mae'n gwbl anfoesol!
Mae'n amlwg mai fi yw'r un mwyaf haeddiannol!!"

"Clyw," meddai'r Wrach, "Rho daw ar dy frolio!"
A dyma hi'n codi ei hysgub i'w daro.
"Dyma be gei di'r Tywysog Fi-Fawr..."
Ond 'Wwwps' – mae'n cnocio pen y Sombi i'r llawr.

Bloeddia'r Sombi, â'i ben ar y llawr,
"Fy nghorff: rhaid ymosod ar y ddau yma nawr!"
Ond ni all y corff na gweld nac anelu,
A dyma fo'n cicio'i ben dan y gwely.

'Aaaaaaaaaaaaaaaaaaa!!'

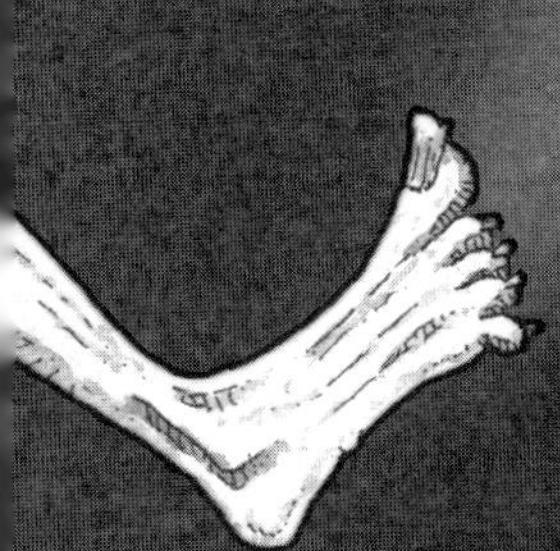

Mae Draciwla'n tynnu het yr hen Wrach
Yn llwyr dros ei phen rhag cael mwy o strach.
Ond dyma hi'n gafael wrth ddisgyn yn flêr
Yn ei drowsus, a'u tynnu i lawr at ei ffêr.

Drwy frysio'n ormodol i godi ei drowsus,
Rhag dangos ei drôns i'r byd yn amharchus,
Mae Draciwla'n baglu gan ddymchwel y llenni.
Tu allan, o'r gorwel, mae'r haul wedi codi.

Yn raddol mae'r Sombi (na lwyddodd greu niwed)
Yn toddi'n un blobyn o slwj ar y carped.
Yn llyffant bach hyll trodd y wrach ar ei hunion,
Gan neidio i'w chrochan fel un o'r cynhwysion.

A ta-ta Draciwla; mae'n bechod mawr
I tithau droi'n llwch ar doriad y wawr.
A dyna ti ddiwedd y tri oedd mor ffôl.
Gadawant ddim byd ond y trôns ar eu hôl.

Ond...

Yn sydyn disgynna rhyw gysgod dieflig,
Miniog ei grafanc a'i osgo mor ffyrnig.
Ei gyrn yn hir a'i lygaid yn fflam,
Mae'n nesáu at y gwely cam wrth gam...

Ac mewn llais hynod addfwyn, mae'n dweud wrthot ti
"Hen bryd i ti godi, fy nghariad bach i."
Llais addfwyn?!! Pam ddim?... DY FAM YW HI...

... Mam i ddiafol bach fel ti!